大凤车·认读丛书

颜色

本册包括：

神龙卡通公司制作　吉林文史出版社出版

编 者 的 话

　　心理学家发现，婴儿喜欢明亮鲜艳的色彩，顺序依次是黄色、白色、粉红色及红色，而随着孩子年龄增大，原先对黄的兴趣逐渐被红色和蓝色取代，同时他们也能慢慢接纳绿色、紫色等并不亮丽的色彩。但是能用语言表述和分辨色彩，对幼儿来讲却需要学习。这本书通过实物形象可帮助幼儿认识生活中常见的颜色，学习缤纷色彩的名称，发现万物的丰富色彩。在亲子阅读的同时，家长还可与幼儿做色彩游戏，如按色取物、分类摆放各色积木、涂抹各种颜色以抒发感情等等，逐步提高孩子对色彩的感受力和辨别力。

认 一 认　　读 一 读

颜　色

红色

guān chá zhè xiē hóng sè
观察这些红色

de wù tǐ
的物体。

yì dǐng hóng mào zi
一顶红帽子

yì píng hóng sè de fān qié jiàng
一瓶红色的番茄酱

·yí gè duō zhī de hóng xī
一个多汁的红西

hóng shì
红柿

yí jiàn hóng yǔ yī
一件红雨衣

yì shuāng wēn nuǎn de
一双 温暖的

hóng shǒu tào
红手套

nǐ yǒu méi yǒu hóng sè de yī fu
你有没有红色的衣服？

liǎng zhī hóng sè de yīng wǔ
两只红色的鹦鹉

sān gè hóng sè de cǎo méi
三个红色的草莓

yí piàn hóng sè de yīng sù huā
一片红色的罂粟花

yì duǒ měi lì de hóng méi gui
一朵美丽的红玫瑰

yí gè xiān hóng de là jiāo
一个鲜红的辣椒

5

蓝色

guān chá zhè xiē
观察这些
lán sè de wù tǐ
蓝色的物体。

yí gè lán sè de bō li píng
一个蓝色的玻璃瓶

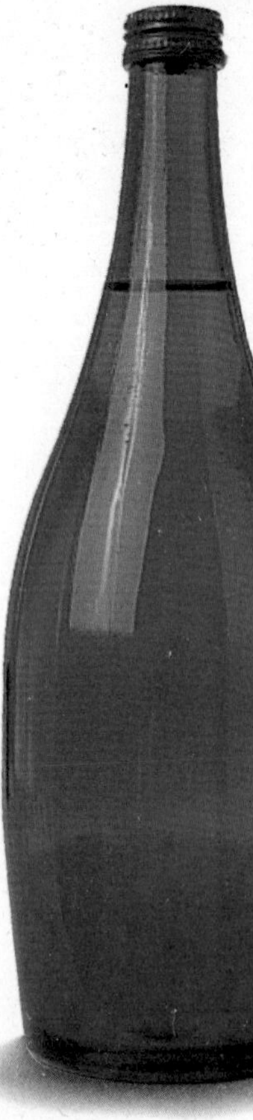

yì tiáo lán sè de xiàng pí gāo
一条蓝色的橡皮膏

yì shuāng lán
一双 蓝
sè de yǎn jing
色的眼睛

lán sè de yī fu
蓝色的衣服

nǐ de yǎn jing
你的眼睛
shì shén me yán sè de
是什么颜色的？

shēn lán sè de dà hǎi
深蓝色的大海

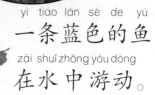

yí shù lán sè de huā
一束蓝色的花

yì tiáo lán sè de yú
一条蓝色的鱼
zài shuǐ zhōng yóu dòng
在水中游动。

tíng luò zài yè zi shang de lán hú dié
停落在叶子上的蓝蝴蝶

7

黄色

guān chá zhè xiē huáng sè
观察这些黄色

de wù tǐ
的物体。

sān duǒ huángsè de huā
三朵黄色的花

yí jiàn huángsè
一件黄色

de xù shān
的 T 恤衫

huángsè de níngméng
黄色的柠檬

yì xiē huángsè de huā
一些黄色的花

nǐ jiā huā yuán lǐ yǒu
你家花园里有

méi yǒu huángsè de huā
没有黄色的花?

8

yí gè měi wèi de huáng xiāng jiāo
一个美味的黄 香蕉

dié zi shang de
碟子上的
huáng sè nǎi yóu
黄色奶油

liǎng zhī huáng sè
两只黄色
de jīn sī què
的金丝雀

yì zhī huáng sè de jī chú hé tā de dàn ké
一只黄色的鸡雏和它的蛋壳

9

绿色

guān chá zhè xiē
观察这些

lǜ sè de wù tǐ
绿色的物体。

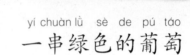

yí chuàn lǜ sè de pú táo
一串绿色的葡萄

mí hóu táo lǜ sè de guǒ ròu
猕猴桃绿色的果肉

lǜ sè de
绿色的

píng guǒ
苹果

yí jiàn lǜ sè de xù shān
一件绿色的 T 恤衫

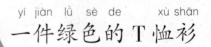

píng guǒ yí dìng
苹果一定

shì lǜ sè de ma
是绿色的吗?

10

duō cì de lǜ sè liè xī yì
多刺的绿色鬣蜥蜴

sān tiáo lǜ sè de biǎn dòu
三条绿色的扁豆

yí piàn mò lǜ
一片墨绿

sè de shù yè
色的树叶

shuǐ zhōng yì zhī lǜ sè de qīng wā
水中一只绿色的青蛙

11

橙色

guān chá zhè xiē chéng
观察这些橙
sè de wù wǐ
色的物体。

yí gè yòu nèn yòu cuì de
一个又嫩又脆的
chéng sè de hú luó bo
橙色的胡萝卜

měi wèi duō zhī de
美味多汁的
chéng sè gān jú
橙色柑橘

yì zhī chéng sè
一支橙色
bīng bàng
冰棒

yí jiàn chéng sè de xù shān
一件橙色的 T 恤衫

nǐ xǐ huan chī
你喜欢吃
bīng bàng ma
冰棒吗？

yí gè biǎomiàn bù mǎn yuán gē da
一个表面布满圆疙瘩
de chéng sè hǎi xīng
的橙色海星

yú gāng lǐ yǒu yì tiáo chéng sè de yú
鱼缸里有一条橙色的鱼。

yí gè chéng huáng
一个橙黄
sè de nán guā
色的南瓜

13

粉红色

guān chá zhè xiē fěn
观察这些粉
hóng sè de wù tǐ
红色的物体。

yì zhī fāng xiāng de fěn
一支芳香的粉
hóng sè de kāng nǎi xīn
红色的康乃馨

yì shuāng fěn hóng sè
一双 粉红色
de bā lěi wǔ xié
的芭蕾舞鞋

yì tiáo fěn hóng
一条粉红
sè bā lěi wǔ
色芭蕾舞
duǎn qún
短裙

nǐ xǐ huan tiào wǔ ma
你喜欢跳舞吗?

14

yì zhī měi lì de
一支美丽的
fěn hóng sè chún gāo
粉红色唇膏

liǎng zhī fěn hóng sè
两只粉红色
de xiǎo zhū zǎi
的小猪崽

sì zhī fěn hóng sè de huǒ liè niǎo
四只粉红色的火烈鸟

wǔ gè fěn hóng sè
五个粉红色
de shǒu zhǐ jia
的手指甲

15

棕色

棕色的物体。

小伞一样的棕色蘑菇

棕色服装

一枚棕色

的大鸡蛋

一个带刺的

棕色松果

棕黄色的叶子

树叶在什么时

节变成棕色呢?

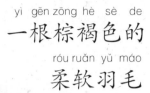

yī gēn zōng hè sè de
一根棕褐色的
róu ruǎn yǔ máo
柔软羽毛

yì xiē yìng bāng bāng de zōng sè jiān guǒ
一些硬邦邦的棕色坚果

kě kǒu de zōng sè qiǎo kè lì
可口的棕色巧克力

zōng sè miàn bāo
棕色面包

17

黑色

guān chá zhè xiē
观察这些
hēi sè de wù tǐ
黑色的物体。

wū hēi de
乌黑的
tóu fa
头发

yì zhī yǒu hēi sè máo pí
一只有黑色毛皮
de māo
的猫

hēi sè gǎn lǎn
黑色橄榄

yí jiàn hēi sè de
一件黑色的
tào tóu máo yī
套头毛衣

nǐ de tóu fa shì hēi sè de ma
你的头发是黑色的吗?

18

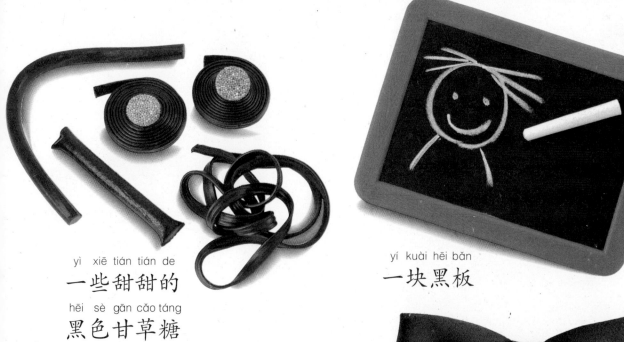

yì xiē tián tián de
一些甜甜的
hēi sè gān cǎo táng
黑色甘草糖

yí kuài hēi bǎn
一块黑板

yí gè hēi lǐng jié
一个黑领结

yì shuāng hēi liàng
一双黑亮
de xié
的鞋

白色

观察这些
白色的物体。

三朵白色的雏菊

洁白
的牙齿

一件雪白
的衬衫

一个白色的菜花

怎样才能保
持牙齿的洁白?

yì wǎn bái mǐ fàn
一碗白米饭

sì gēn bái fěn bǐ
四根白粉笔

yì duǒ gāng gāng zhàn fàng de bái sè shuì lián
一朵刚刚绽放的白色睡莲

bái sè de xiāng
白色的镶
biān zhěn tou
边枕头

shǔ yì shǔ yǒu jǐ
数一数,有几
gè lán sè de wù tǐ
个蓝色的物体?

zhè gè hóng hóng
这个红红
de dōng xi jiào shén me
的东西叫什么?

zhè gè lǐng jié
这个领结
shì lǜ sè de ma
是绿色的吗?

nǐ zuì xǐ huan
你最喜欢
nǎ zhǒng yán sè
哪种颜色?

22

hóng là jiāo 红辣椒	 hēi sè lǐng jié 黑色领结
lán huā 蓝花	lán sè xiàng pí gāo 蓝色橡皮膏
 huáng xiāng jiāo 黄香蕉	 huángsè de huā 黄色的花
 lǜ biǎn dòu 绿扁豆	 lǜ sè de guǒ ròu 绿色的果肉
chéng sè jú zi 橙色橘子	chéngsè nán guā 橙色南瓜
 fěn sè de xié 粉色的鞋	fěn hóng sè de huā 粉红色的花
zōng sè qiǎo kè lì 棕色巧克力	zōng sè miàn bāo 棕色面包
 bái zhěn tou 白枕头	bái mǐ fàn 白米饭

蓝 橙 绿

白 黑 棕

黄 粉 红

编　者　的　话

　　孩子学习的显著特点是直观性强，数与图形虽是抽象的，但都是在具体事物的基础上概括出来的，教幼儿数学要从具体直观入手，这本书即是通过生动而丰富的实例让孩子初步学习几何图形。家长除经常教幼儿指认书中的形状外，还可结合幼儿生活中的实物来反复讲解或进行游戏，让幼儿感知几何图形。比如切蛋糕时最好也切成三角形、正方形、圆形等，用圆形卡片做"笑脸娃娃"、用三角形卡片做小旗等，玩折纸游戏，在语言提示下让幼儿尽快找出各种图形，这样可以逐渐培养幼儿分辨各种形状的能力。

图　案

条纹

tiáo wén shì yóu gè zhǒng bù tóng
条纹是由各种不同

xíng zhuàng de xiàn zǔ chéng de
形状的线组成的。

tiáo xíng guǎi zhàng
条形拐杖
sì de táng guǒ
似的糖果

dài tiáo wén de qiú
带条纹的球

dài tiáo wén de duǎn kù
带条纹的短裤

kàn kàn wǒ shēn shang chuān zhe
看看我身上穿着

de gè zhǒng gè yàng de tiáo wén
的各种各样的条纹!

28

shuí cáng zài tiáo xíng
谁藏在条形

chuāng lián hòu ne
窗帘后呢?

shēng rì lǐ wù de tiáo xíng
生日礼物的条形

bāo zhuāng
包装

xiāo jiān le de dài tiáo
削尖了的带条

wén de qiān bǐ
纹的铅笔

dài tiáo wén de dà bēi zi
带条纹的大杯子

29

圆点

yuán diǎn xíng tú àn lǐ miàn chōng mǎn
圆点形图案里面充满
le dài yán sè de yuán diǎn
了带颜色的圆点。

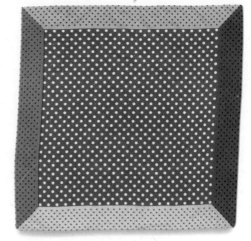

dài yuán diǎn de shǒu pà
带圆点的手帕

wǒ hún shēn
我浑身
shì diǎnr
是点儿！

yí duì dài yuán
一对带圆
diǎn de shǎi zi
点的色子

dài yuán diǎn de qián bāo
带圆点的钱包

30

dài yuán diǎn de lǐng jié
带圆点的领结

liǎng gè dài yuán diǎn de qì qiú
两个带圆点的气球

liǎng zhī shēn shang
两只身上
yǒu yuán diǎn de chóng zi
有圆点的虫子

dài yuán diǎn de diàn zi
带圆点的垫子

方格

fāng gé tú àn lǐ miàn chōng mǎn le fāng gé
方格图案里面充满了方格。

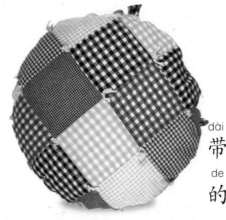

dài fāng gé
带方格
de diàn zi
的垫子

kàn kàn wǒ fú zhuāng shang de fāng gé
看看我服装 上的方格!

yǒu fāng gé tú
有方格图
àn de bì zhuān
案的壁砖

dài fāng gé de pán zi
带方格的盘子

方格花纹

fāng gé huā wén shì yóu
方格花纹是由
shí zì tú àn zǔ chéng de
十字图案组成的。

yǒu fāng gé huā
有方格花
wén de duǎn qún
纹的短裙

yǒu fāng gé huā wén de piāo dài
有方格花纹的飘带

yǒu fāng gé huā wén de bāo
有方格花纹的包

yǒu fāng gé huā wén
有方格花纹
de bēi dài
的背带

wǒ de fāng gé huā wén shuì
我的方格花纹睡
yī jì wēn nuǎn yòu shū shì
衣既温暖又舒适!

33

锯齿形图案

锯齿形图案是由带
尖齿的线组成的。

画有锯齿形图案的浇水壶

你喜欢我的
锯齿形帽子吗?

画有锯齿形图案的画柜

涂有锯齿形
奶油的饼干

34

波浪形图案

bō làng xíng tú àn shì
波浪形图案是
yóu qū xiàn zǔ chéng de
由曲线组成的。

piào liang de bō
漂亮的波
làng xíng zhā fà dài
浪形扎发带

bō làng xíng de yá gāo
波浪形的牙膏

yǒu bō làng wén
有波浪纹
de hé zi
的盒子

wǒ de xià ba xià
我的下巴下
mian yǒu dào dào bō làng
面有道道波浪。

huà yǒu bō làng wén de pán zi
画有波浪纹的盘子

35

拳曲条形图案

拳曲条形图案是由
拳曲的线条组成的。

上面画
有拳曲线条的瓷杯

奶油呈拳曲状

印有拳曲线条
的文件夹

画有拳曲线
条的咖啡壶

螺旋形图案

luó xuán xíng tú àn shì yóu yì quān
螺旋形图案是由一圈
yòu yì quān de qū xiàn zǔ chéng de
又一圈的曲线组成的。

huà yǒu luó xuán xíng tú àn de cí māo
画有螺旋形图案的瓷猫

wǒ de qún zi shang yǒu
我的裙子上有
xǔ duō luó xuán xíng tú àn
许多螺旋形图案。

xuán zhuǎn de
旋转的
tuó luó
陀螺

sōng ruǎn de luó xuán xíng dàn gāo
松软的螺旋形蛋糕

37

自然形成的图案

shì jiè shang yǒu xǔ duō zì rán
世界上有许多自然

xíng chéng de tú àn
形成的图案。

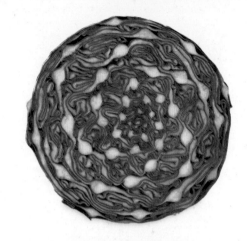

hóng sè dài bō wén de cài xīn
红色带波纹的菜心

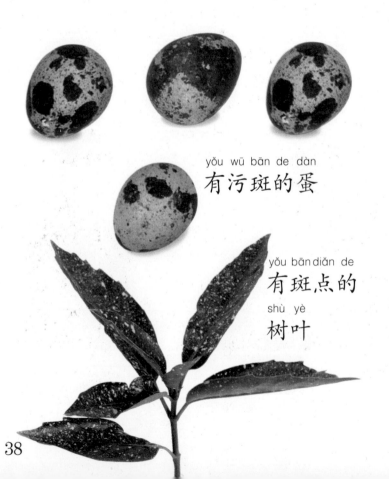

yǒu wū bān de dàn
有污斑的蛋

yǒu bān diǎn de
有斑点的
shù yè
树叶

luó xuán xíng de
螺旋形的
hǎi bèi ké
海贝壳

jiāo chā de zhī zhū wǎng
交叉的蜘蛛网

yǒu bān diǎn de fěng hóng
有斑点的粉红
sè de bǎi hé huā
色的百合花

shù gàn shang de quān nián lún
树干上的圈(年轮)

39

动物身上的图案

xǔ duō dòng wù de shēn shang yǒu
许多动物的身上有

gè zhǒng gè yàng de tú àn
各种各样的图案。

yú shēn shang yǒu lín
鱼身上有鳞。

bān mǎ shēn shang
斑马身上

yǒu hēi bái xiāng jiàn de
有黑白相间的

tiáo wén
条纹。

chángjǐng lù shēn shang yǒu dà kuài de bān
长颈鹿身上有大块的斑。

shé shēn shang yǒu jù chǐ xíng tú àn
蛇身上有锯齿形图案。

cóng zhè zhī hú dié shēn shang
从这只蝴蝶身上
nǐ néng kàn jiàn shén me tú àn
你能看见什么图案？

41

更多的图案

你见过这
些图案吗？

yìn yǒu yuān wěi huā de qiáng zhǐ
印有鸢尾花的墙纸

yǒu shí zì xíng tiáo wén de yú
有十字形条纹的鱼

yǒu dà lǐ shí huā
有大理石花
wén de bǐ jì běn
纹的笔记本

yǒu wō xuán wén
有蜗旋纹
de huā lǐng dài
的花领带

yí gè huā bāo
一个花包

yìn yǒu cǎi sè pīn kuài de gǔ
印有彩色拼块的鼓

43

我们能做图案

你做过下
面的图案吗?

一点一滴落下的糕点糖衣

湿软沙地上
的锯齿形

杂乱的颜料点

44

wǒ xǐ huan yòng jiǎo cǎi tú àn
我喜欢用脚踩图案！

shuǐ de bō wén
水的波纹

nǐ néng zuò chū shén
你能做出什
me yàng de xíng zhuàng
么样的形状？

45

nǐ néng shuō chū zhè xiē
你能说出这些
tú àn de míng zi ma
图案的名字吗?

	qiú 球		yá gāo 牙膏
	tiáo xíng bāo zhuāng 条形包装		pán zi 盘子
	qián bāo 钱包		nǎi yóu 奶油
	chóng zi 虫子		dàn gāo 蛋糕
	diàn zi 垫子		zhī zhū wǎng 蜘蛛网
	bì zhuān 壁砖		hǎi bèi ké 海贝壳
	duǎn qún 短裙		bān mǎ 斑马
	jiāo shuǐ hú 浇水壶		huā bāo 花包

包	虫	砖
壶	牙	奶
油	网	贝

编 者 的 话

　　分类能力是孩子逻辑思维发展的一个重要方面,也是他们数学能力发展的基础。幼儿分类能力的发展,也必须通过直观的教学手段来进行。这本书借助实物形象使幼儿接触并学习分类的概念,有依颜色、形状、大小等感知特点分类,有依生活情景与功能分类。在亲子阅读中,家长应注意向幼儿解说和演示分类方法,然后可以准备一些实物材料,让幼儿自己练习组合和配对,在游戏活动中逐渐掌握和提高分类的能力。

分 类

成双成对

liǎng zhī pèi chéng yí duì
两只配成一对
de xié jiào zuò yì shuāng xié
的鞋，叫做一双鞋。

yì shuāng xié
一双鞋

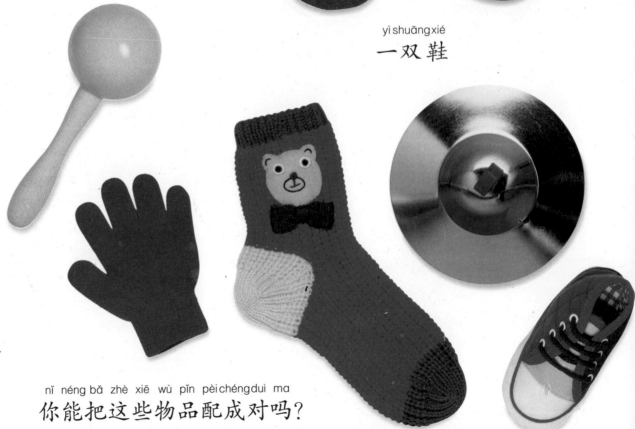

nǐ néng bǎ zhè xiē wù pǐn pèi chéng duì ma
你能把这些物品配成对吗？

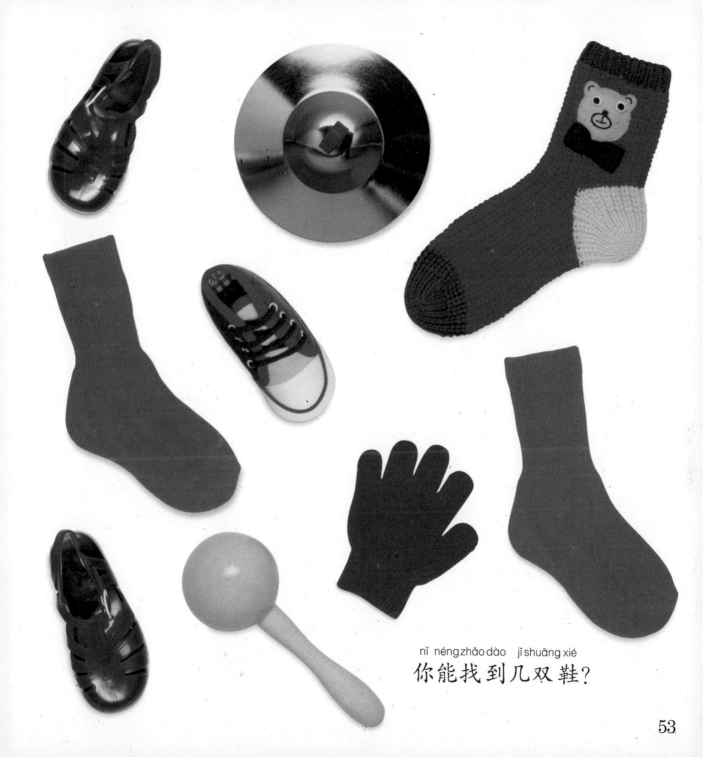

颜色

你能根据颜色
把物品分类。

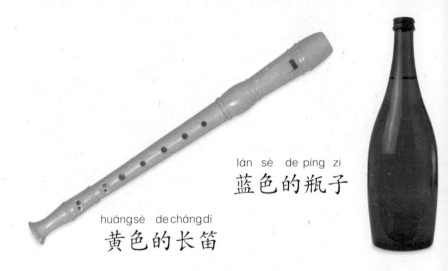

黄色的长笛

蓝色的瓶子

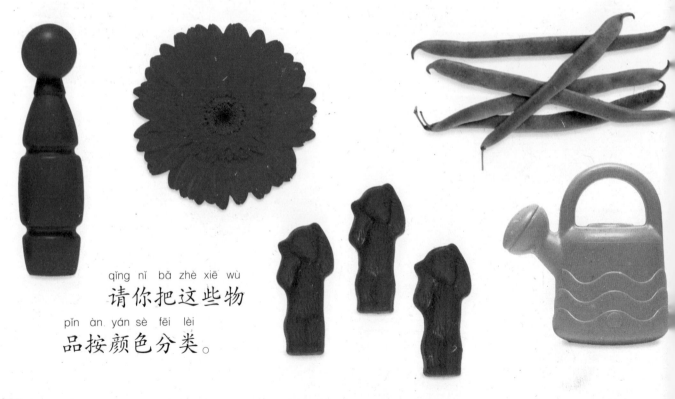

请你把这些物
品按颜色分类。

hóng sè de là bǐ
红色的蜡笔

lǜ sè de píng guǒ
绿色的苹果

zōng sè de shān guǒ
棕色的杉果

nǐ néng zhǎo chū duō shǎo lǜ sè de dōng xi
你能找出多少绿色的东西？

55

图案

yǒu xiē wù pǐn hái kě
有些物品还可

yǐ gēn jù tā men de tú àn
以根据它们的图案

fēn lèi
分类。

dài fāng gé de
带方格的

cān zhuō diàn
餐桌垫

nǐ néng gēn jù tú àn bǎ zhè xiē wù pǐn fēn lèi ma
你能根据图案把这些物品分类吗？

56

dài yǒu yuán diǎn de qì qiú
带有圆点的气球

dài yǒu tiáo wén de qiān bǐ
带有条纹的铅笔

nǐ yǒu méi yǒu dài tiáo wén de dōng xi
你有没有带条纹的东西？

57

形状

wǒ men kě yǐ gēn jù wù
我们可以根据物
pǐn de xíng zhuàng fēn lèi
品的形状分类。

zhèng fāng xíng de
正方形的
fáng shuǐ shū
防水书

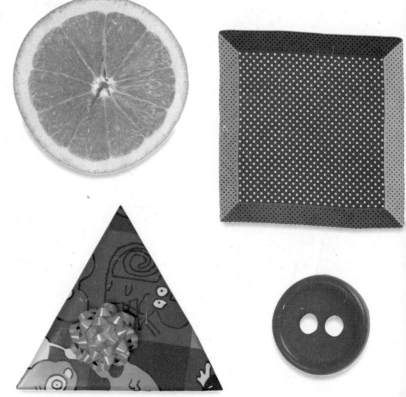

nǐ néng kàn chū shén
你能看出什
me yàng de xíng zhuàng
么样的形状?

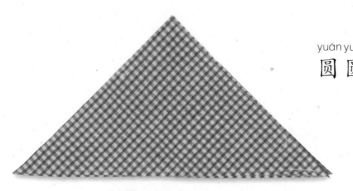

sān jiǎo xíng de cān jīn
三角形的餐巾

yuán yuán de pán zi
圆圆的盘子

nǐ hái zhī dào qí
你还知道其

tā de xíng zhuàng ma
他的形状吗?

大小

你可以根据物体的大小，把物体按顺序排列起来。

zuì xiǎo
最小

你能把鸭子、娃娃，还有盒子，按大小顺序排列起来吗？

最大

nǐ jiā lǐ shuí de gè tóu zuì xiǎo
你家里谁的个头最小？

搭档关系

qiú pāi hé qiú
球拍和球
shì dā dàng
是"搭档"。

qiú
球

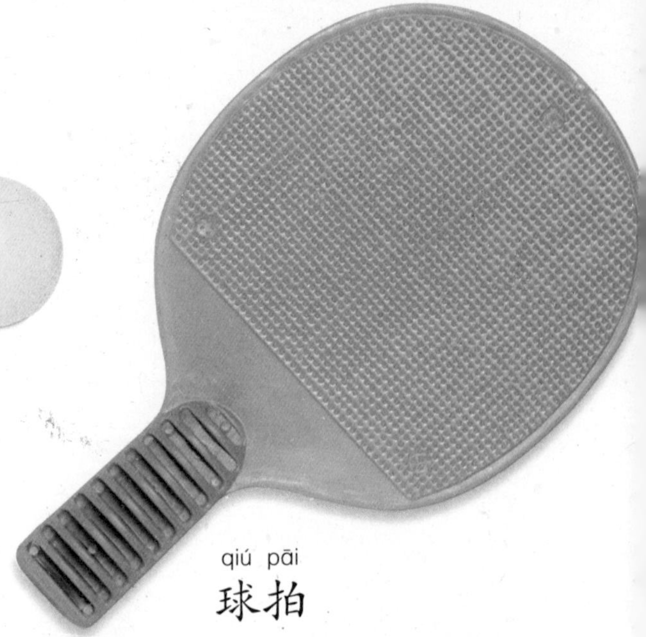

qiú pāi
球拍

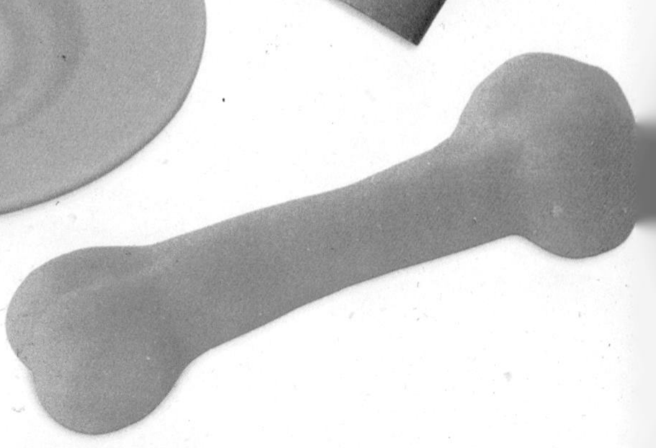

zài zhè yí yè lǐ nǐ néng
在这一页里，你能
gěi tā men zhǎo chū dā dàng ma
给它们找出搭档吗？

62

nǐ hái néng zhǎo chū qí tā de dā dàng ma
你还能找出其他的搭档吗?

63

把自己打扮起来

bàn chéng yí gè dì dào de niú zǎi
扮成一个地道的牛仔，
hái bì xū dài shàng yì dǐng mào zi
还必需戴上一顶帽子。

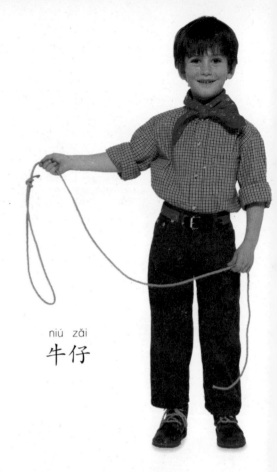

niú zǎi
牛仔

niú zǎi mào
牛仔帽

xiān nǚ   xiǎo chǒu hé hǎi
仙女、小丑和海
dào dōu xū yào nǎ xiē dōng xi
盗都需要哪些东西？

nǐ xiǎng bǎ zì jǐ dǎ
你想把自己打
ban chéng shén me yàng ne
扮成什么样呢?

是否够用？

zhè xiē yīng táo zú gòu
这些樱桃足够

hé dàn gāo pèi yòng
和蛋糕配用。

yīng táo
樱桃

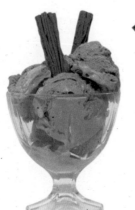

měi gè xiǎo māo mī dōu
每个小猫咪都

néng fēn dào yí gè dié zi ma
能分到一个碟子吗？

66

yòu rén de dàn gāo
诱人的蛋糕

yòng zhè xiē sháo zi chī
用这些勺子吃
bīng qí lín gòu yòng ma
冰淇淋够用吗？

67

衣服

不同的天气里，你需要穿不同的衣服。

天暖和时，她需要穿什么衣服？

tiān qì lěng le tā chū
天气冷了，他出
qù wán shí yīng gāi chuān shénme
去玩时应该穿 什么？

bǎ zhè xiē dōng xi àn
把这些东西按
lèi zhěng lǐ hǎo
类整理好！

nǐ néng zhǎo chū yì shuāng wà zi ma
你能找出一双袜子吗？

yí gòng yǒu jǐ
一共有几
gè dài diǎn de wù pǐn
个带点的物品？

70

你能找到几
个蓝色的东西吗?

你能找到小丑
戴的帽子和鼻头吗?

71

	yì shuāng xié 一双鞋		yán liào 颜料
	cháng dí 长笛		shuā zi 刷子
	píng zi 瓶子		niú zǎi mào 牛仔帽
	shù yè 树叶		niú zǎi 牛仔
	qiān bǐ 铅笔		yīng táo 樱桃
	fáng shuǐ shū 防水书		bīng qí lín 冰淇淋
	wá wa 娃娃		pīngpāng qiú 乒乓球
	máo yī 毛衣		pīngpāngqiú pāi 乒乓球拍